A Princesa Arrogante

Num reino muito distante vivia um rei viúvo com sua única filha e, por isso, o pai fazia todas as vontades da princesinha. A cada dia ela ficava mais mimada.
A princesa não emprestava seus brinquedos e esnobava as amigas:
— Nossa, minha boneca é muito mais bonita que a sua! O meu pai é muito mais poderoso! O meu castelo é muito mais luxuoso!

O REI FICOU PREOCUPADO COM O COMPORTAMENTO DA FILHA, PORQUE ELA O FAZIA PASSAR MUITA VERGONHA. ELA FALAVA SEM PENSAR E NÃO TINHA EDUCAÇÃO. E NÃO ERA SÓ COM AS CRIANÇAS QUE ELA ERA MAL-EDUCADA, O REI OUVIA DE SUA FILHA PALAVRAS COMO ESTAS:

— QUE CORTE DE CABELO HORRÍVEL! EU ODIEI ESTE PRESENTE! EU TENHO JOIAS MUITO MAIS BONITAS! COMO VOCÊ É FEIO!

A PRINCESINHA NÃO TINHA AMIGUINHOS, E TODOS A EVITAVAM PARA ESCAPAR DE SEUS COMENTÁRIOS. ELA TRATAVA MAL OS SERVOS E NÃO TINHA RESPEITO POR NINGUÉM.

A MENINA CRESCEU E TORNOU-SE UMA PRINCESA BELA, MAS MUITO ARROGANTE. QUANDO ELA CHEGOU NA IDADE DE CASAR, O PAI ORGANIZOU UM BAILE PARA APRESENTAR A FILHA A TODOS OS PRETENDENTES.

A FESTA ESTAVA DESLUMBRANTE. TODOS NO SALÃO FICARAM ENCANTADOS COM A GRAÇA DA PRINCESA, MAS TUDO ACABOU QUANDO ELA ABRIU A BOCA. ELA PASSEAVA PELOS PRÍNCIPES E FALAVA:

— QUE GORDO! VOCÊ PRECISA DE UMA DIETA URGENTE!

— QUE BARBICHA ESQUISITA, COMO VOCÊ TEM CORAGEM DE USAR ISTO?

— QUE DENTUÇO!

— QUE ORELHUDO!

— QUE ROUPA TENEBROSA!

TODOS SE HORRORIZARAM COM A PRINCESA E O REI, FURIOSO, DETERMINOU:

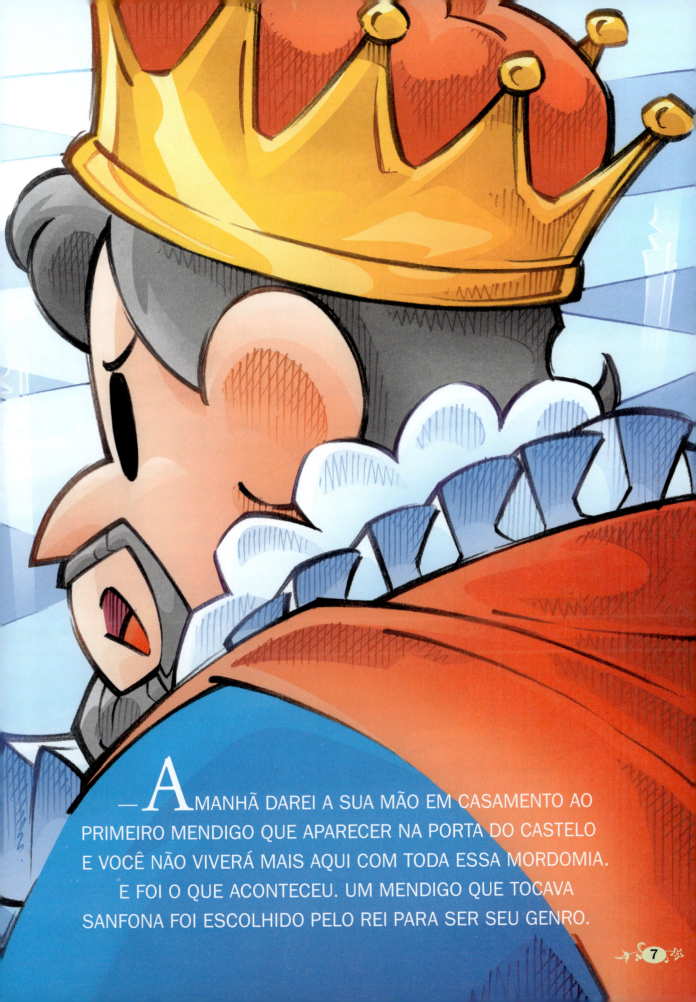

— Amanhã darei a sua mão em casamento ao primeiro mendigo que aparecer na porta do castelo e você não viverá mais aqui com toda essa mordomia. E foi o que aconteceu. Um mendigo que tocava sanfona foi escolhido pelo rei para ser seu genro.

A PRINCESA CHOROU, ESPERNEOU, MAS O CASAMENTO ACONTECEU NAQUELE MESMO DIA.

APÓS A CERIMÔNIA, FOI EMBORA COM O MARIDO EM UMA VELHA CARROÇA PARA SEU NOVO LAR.

NO CAMINHO, PASSARAM POR FAZENDAS COM VÁRIOS TIPOS DE ANIMAIS E PLANTAÇÕES. A PRINCESA FICOU MARAVILHADA E PERGUNTOU AO POVO LOCAL:

— A QUEM PERTENCEM ESTAS MARAVILHOSAS FAZENDAS?

— AO NOSSO FUTURO REI E A ESCOLHIDA PARA SER SUA RAINHA! — RESPONDEU UMA CAMPONESA.

DEPOIS PASSARAM POR UMA ENCANTADORA FLORESTA E A PRINCESA PERGUNTOU:

— A QUEM PERTENCE ESTA LINDA FLORESTA?

— AO NOSSO FUTURO REI E A ESCOLHIDA PARA SER SUA RAINHA!

Finalmente chegaram ao casebre do sanfoneiro, exaustos da viagem e com fome. Mas o marido teve de cozinhar sozinho, pois a princesa não sabia preparar nenhuma comida.

No dia seguinte, o marido ensinou à esposa como fazer todas as tarefas da casa. A partir desse dia, a princesa e ele trabalhavam juntos para cuidar da casa: arrumavam, limpavam, lavavam e passavam tudo.

Um dia, porém, o marido disse que o dinheiro que ganhava era pouco e que precisavam fazer algo para ter um pouco a mais.

— Vou colher palha para fazermos cestas para vender.

No entanto, as mãos da princesinha eram delicadas e nunca tinham trabalhado antes. Tanto, que ficaram muito feridas e ela não conseguiu confeccionar as cestas.

No primeiro dia vendeu muitos potes. Mas no dia seguinte, um cavaleiro bêbado invadiu sua barraca e quebrou todos os potes que restavam. Sem dinheiro para comprar outros, o marido sugeriu que ela se tornasse ajudante de cozinha no castelo.

A princesa conseguiu o emprego e trabalhou duro. Aos poucos, transformou-se numa pessoa agradável, prestativa e querida pelos companheiros de trabalho.

Certo dia, foi anunciado um baile real para o príncipe apresentar sua escolhida para o povo. No dia da festa, a princesa quis espiar os convidados para relembrar seus dias de realeza. Ela mal podia acreditar que já tinha vivido daquele modo!

Então, chegou o príncipe montado num cavalo branco. Ele caminhou até a princesa, segurou sua mão e a levou para o salão de baile. Ela tentou fugir, mas ele insistiu para que dançassem apenas uma valsa.

Assim, a princesa reconheceu o príncipe Barbicha para quem tinha feito o comentário maldoso e desculpou-se:

— Vossa Majestade, perdoe-me por ter lhe tratado mal. Hoje sou uma pessoa diferente. Aprendi muito com meus erros, mas não posso continuar aqui, sou uma mulher casada.

— Espere! — respondeu o príncipe — Eu sou o mesmo cavaleiro que quebrou todos os potes no mercado. Também o mendigo sanfoneiro com quem se casou.

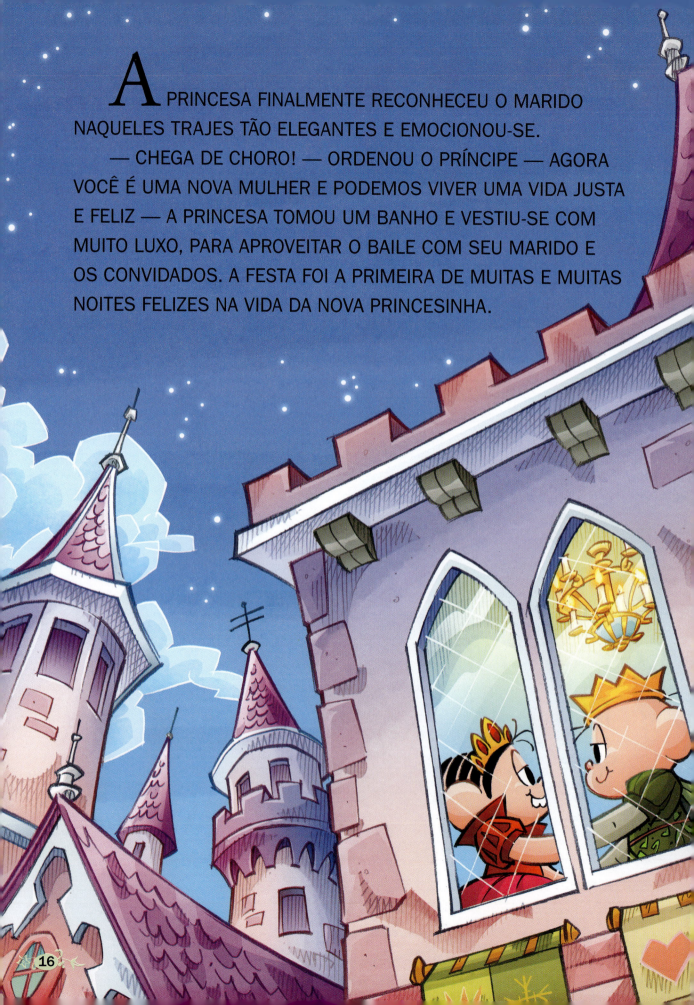

A PRINCESA FINALMENTE RECONHECEU O MARIDO NAQUELES TRAJES TÃO ELEGANTES E EMOCIONOU-SE.

— CHEGA DE CHORO! — ORDENOU O PRÍNCIPE — AGORA VOCÊ É UMA NOVA MULHER E PODEMOS VIVER UMA VIDA JUSTA E FELIZ — A PRINCESA TOMOU UM BANHO E VESTIU-SE COM MUITO LUXO, PARA APROVEITAR O BAILE COM SEU MARIDO E OS CONVIDADOS. A FESTA FOI A PRIMEIRA DE MUITAS E MUITAS NOITES FELIZES NA VIDA DA NOVA PRINCESINHA.